PRÁCTICO DE COCINA

COCINA MEXICANA

A la memoria de
José María Gómez

Pol. Ind. Európolis
c/ M n.º 9
28230 Las Rozas - Madrid (España)
Telf.: (+34) 916 375 254
Fax: (+34) 916 361 256
E-Mail: dastinexport@dastin.es
www.dastin.es
ISBN: 84-96410-24-2

IMPRESO EN ESPAÑA - PRINTED IN SPAIN
Depósito Legal: M-25.308/2005

ÍNDICE

TOSTADAS OAXAQUEÑAS

 baja

 24 piezas

 30 minutos

 bajo

INGREDIENTES

- 24 tortillas chicas y delgadas
- 250 g de frijol cocido y molido
- 200 g de manteca (o aceite)
- 1 lechuga
- 1 pechuga de pollo cocida
- 1/4 litro de crema de leche
- 2 chipotles en vinagre
- 100 g de queso añejo

Se cortan las tortillas con un cortador redondo, grande —casi del tamaño de la tortilla—, únicamente para quitarles la orilla; se fríen en la manteca hasta que queden uniformemente doradas y se untan en frijol (que se habrá refrito en manteca y con caldo de los chipotles). Sobre el frijol se pone la crema, el pollo deshebrado, la lechuga finamente picada y sazonada con sal, pimienta y un poquito de aceite y vinagre; después se añade el queso y el chipotle en trocitos.

Las mismas tostadas quedan muy ricas si en lugar de pollo se ponen patitas de cerdo en fiambre y picadas.

QUESILLO ASADO EN SALSA VERDE

 baja  6 piezas  45 minutos  bajo

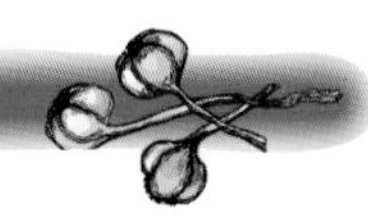

- 1 kg de queso de Oaxaca
- 1 kg de tomates verdes
- 1/2 kg de cebollas
- 6 dientes de ajo
- 6 chiles serranos
- cilantro
- aceite y sal

Se cuecen durante treinta minutos los tomatillos, la cebolla, los chiles y ajos, y se conserva el agua de cocción. Preparamos en una licuadora media cebolla, tres chiles, tres ajos y el agua de cocción.

Se fríe luego una rebanada de cebolla, se extrae; se vierte entonces en el aceite la mezcla de tomatillos, se agrega sal y agua, y se cuece lentamente hasta que la salsa quede espesa. Untadas con un poco de aceite, se asan ligeramente rebanadas de queso en la plancha o sartén. Ponemos dos rebanadas en cada plato.

Al servir, las acompañamos con la salsa caliente y unas tortillas de maíz recién hechas.

QUESADILLAS DE HUITLACOCHE

 baja  12 piezas  60 minutos  bajo

INGREDIENTES

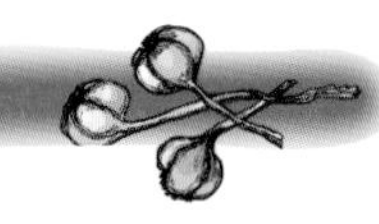

- 12 tortillas
- 1 cebolla
- 1 diente de ajo
- 1/4 kg de huitlacoche
- 2 ramas de epazote
- aceite y sal

Con la masa se forman las tortillas; así crudas, se les pone en el centro el relleno de huitlacoches; se doblan, formándose las quesadillas; se cuecen en el comal, primero de un lado y luego del otro; se sirven luego.

Para preparar el relleno se limpian los huitlacoches muy bien con una servilleta húmeda y se fríen en la manteca; se fríe la cebolla picada, los chiles asados, desvenados y en rajas; se agregan los huitlacoches, el epazote y sal; se tapa la cacerola y se deja en el fuego hasta que estén bien cocidos.

PENEQUES RELLENOS DE QUESO

 media  12 piezas  60 minutos  bajo

INGREDIENTES

- 12 peneques
- 1 tomate
- 2 chiles mulatos
- 200 g de quesillo
- 50 g de jamón cocido
- 2 huevos
- 1 diente de ajo
- 1 dl de nata
- 1/2 litro de caldo
- aceite y sal

Se abren los peneques por un lado y se rellenan con una rebanada de queso; se pasan por la harina y por los huevos, que estarán batidos; se fríen en manteca y se ponen en el caldillo a que den un hervor.

Para preparar el caldillo, en manteca se fríe el tomate asado, molido con la cebolla y colado; cuando reseca, se agrega el caldo, se sazona de sal y pimienta; se deja hervir y, cuando espesa, se agregan los peneques para que den un hervor.

QUESADILLAS DE SESOS

 baja  6 personas  30 minutos  bajo

INGREDIENTES

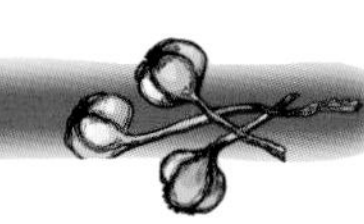

- 1/2 kg de masa para tortillas
- 1/2 seso cocido de res
- 1 cebolla
- 3 chiles serranos
- 2 huesos de tuétano
- unas hojas de epazote
- harina
- levadura en polvo
- aceite
- sal y pimienta

1 Ponemos a cocer los sesos; los dejamos enfriar y los picamos.

2 Acitronamos la cebolla picada en aceite. Añadimos los chiles, el seso y las hojas de epazote picadas.

3 Incorporamos el tuétano, la harina, dos huevos y levadura. Formamos las tortillas.

4 Se rellenan con los sesos y se fríen.

TRUCOS

Un truco estupendo para conservar la harina sin que se formen grumos, es añadirle un poquito de sal fina (5 gramos por cada kilo de harina).

PRESENTACIÓN

Se pueden servir con una salsa de tomate.

TOMATES RELLENOS

 baja

 4 personas

 30 minutos

 bajo

INGREDIENTES

- 8 tomates
- 1/4 kg de pulpa de cerdo molida
- 2 chiles poblanos
- 1 cebolla
- 1 diente de ajo
- queso rallado
- pan molido
- aceite
- perejil
- sal y pimienta delgada

1 Se fríen en aceite la cebolla y el ajo picados; se añade el perejil picado, la carne y los chiles cortados en rajas.

2 Se pelan los tomates, se parten por la mitad, eliminamos las semillas y ponemos a escurrir.

3 Se rellena con la carne. Espolvoreamos pan molido; cubrimos con queso rallado y asamos a dos fuegos.

TRUCOS

Puedes congelar los tomates, vaciados y a punto de relleno, tomando simplemente la precaución de envolver en papel de aluminio el casquete que les has cortado para vaciarlos. Cuando llegue el momento, los rellenas congelados y los metes así en el horno. Igualmente puedes congelarlos ya rellenos y a medio cocer. Bastará con esperar a que se enfríen completamente antes de introducirlos en el congelador.

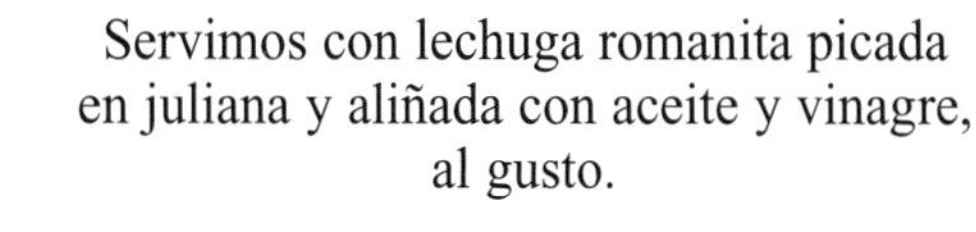

PRESENTACIÓN

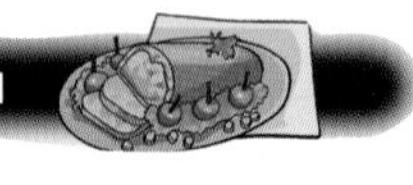

Servimos con lechuga romanita picada en juliana y aliñada con aceite y vinagre, al gusto.

CHALUPAS

 media  6 piezas  45 minutos  bajo

INGREDIENTES

- 1/4 kg de masa para tortillas
- 1/4 kg de falda de cerdo
- 150 g de manteca de cerdo
- 4 cebollas
- sal

Para la salsa verde:

- 12 tomates verdes, grandes
- 2 chiles serranos
- 1 diente de ajo
- cilantro
- sal

Se mezcla la masa con un poco de agua tibia para que quede bien suave.

Se hacen las tortillas de chalupa, chicas y delgadas, y se cuecen bien.

Para elaborar la salsa verde, se cuecen los tomates y en seguida se muelen junto con los chiles, el ajo y el cilantro; se sazona con sal al gusto.

Se colocan las tortillas sobre una charola de lámina puesta a la lumbre. Se echa sobre las tortillas manteca requemada y la salsa verde. Sobre la salsa se ponen la cebolla picada muy finamente y la carne, que previamente habrá sido cocida y deshebrada. Finalmente, se rocía todo con manteca muy caliente y se sirve.

GORDITAS DE FRIJOL

 media  6 piezas  30 minutos  bajo

INGREDIENTES

- 1/2 kg de masa para tortillas
- 3 chiles anchos
- 100 g de queso añejo
- 200 g de frijoles cocidos
- 2 chorizos
- manteca

Los chiles se desvenan, se tuestan, se remojan en agua caliente, se mezclan con la masa y la mitad del queso rallado hasta que la masa quede bien uniforme. Se forman unas gorditas como de siete centímetros de diámetro, que se fríen en la manteca bien caliente, procurando que queden bien cocidas; al sacarlas, hay que escurrirlas bien.

En una cucharada de manteca se fríen los chorizos desmenuzados y sin pellejo; se sacan; en esta misma grasa se fríen los frijoles molidos con media cucharadita de orégano. Se untan las gorditas con una capa de frijoles; encima se les pone queso desmoronado y un poco de chorizo.

TLACOYOS DE FRIJOL

 media  6 piezas  45 minutos  bajo

INGREDIENTES

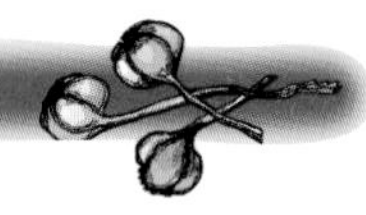

- 230 g de masa para tortilla
- 115 g de frijol bayo menudo
- 230 g de tomates asados
- 150 g de lomo de cerdo
- 4 chiles pasilla
- 2 dientes de ajo
- 1 cebolla
- 1 cucharada de manteca

Se tuestan los frijoles en el comal; se muelen calientes en el metate con una poquita de agua fría para formar como una pasta. A la masa se agrega sal y se hacen tlacoyos, que son unas gorditas de forma ovalada, incorporándoles el relleno del frijol dentro; se cuecen en el comal a fuego suave y, al servir, se les pone encima la salsa con la carne, que se elabora de la manera siguiente:

Se tuestan los chiles, se remojan, se muelen con los tomates asados, la cebolla asada y los ajos; en la manteca se fríe el lomo cocido y deshebrado; cuando dore, se agrega la salsa y sal; se deja hervir hasta que espese.

Se sirve adornando el plato con tomates y hojas de lechuga.

CHILAPITAS

 media  24 piezas  30 minutos  bajo

INGREDIENTES

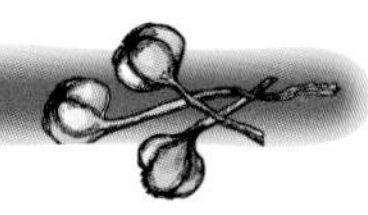

La masa:

- 1 kg y un poquito más de masa preparada con harina de maíz
- 2 cucharadas de harina
- 1/2 cucharadita de polvo de hornear
- 1 cucharadita de sal
- 1 y 1/2 tazas de manteca
- 1 y 1/2 tazas de aceite vegetal.

El relleno:

- 2 pechugas de pollo cocidas y desmenuzadas
- 1 y 1/2 tazas de crema fresca
- 1 taza de aguacate finamente picado
- 24 rajitas de chipotle enlatado
- 48 rebanadas de cebolla blanca diagonalmente rebanadas muy delgadas

(Las chilapitas se llaman así por una importante ciudad en el estado de Guerrero. La palabra nahuatí significa «río junto al campo de chiles». Este platillo se puede acompañar con frijoles, pollo, chorizo u otros rellenos.)

Se prepara la masa y se agrega la harina, el polvo de hornear y la sal. Se amasa hasta que esté terso. Dividimos la masa en 24 bolitas como de 5 centímetros de diámetro. Con los dedos formamos cazuelitas utilizando un tazoncito engrasado como molde.

Se fríe la masa en la manteca revuelta con el aceite hasta que estén bien doradas. Se extraen y escurren en toallas de papel.

Se sirven calientes, llenándolas con pollo y adornando con crema, aguacate, rajas de chile y cebolla.

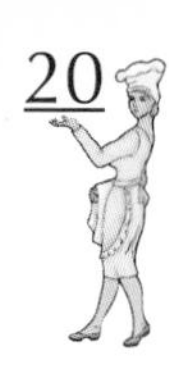

TOSTADITAS DE TUÉTANO

 media  24 piezas  25 minutos  bajo

INGREDIENTES

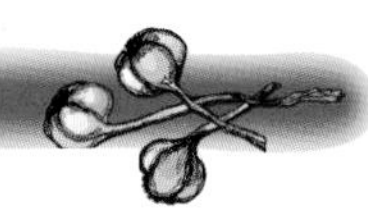

- 24 tortillas chicas
- 300 g de lomo de cerdo
- 150 g de queso añejo
- 460 g de tomate
- 3 huesos grandes de tuétano
- 3 chiles poblanos
- 4 dientes de ajo
- 2 cebollas
- 1 rama de cilantro
- 1 cucharadita de orégano
- 1 lechuga
- 1 manojo de rábanos

Se ponen a cocer los huesos del tuétano; se extrae el tuétano, que se unta a las tortillas encima; se les pone una capa de queso rallado, una de salsa, una de lomo deshebrado; se doran en la parrilla hasta que el queso empiece a fundirse y entonces se retiran; se les pone otra cucharada de salsa y se sirven inmediatamente, adornándose con hojas de lechuga y rabanitos.

Para elaborar la salsa, se asan los tomates, se muelen con los chiles asados y desvenados, las cebollas, ajo, cilantro y orégano; se fríen en la manteca, agregando taza de agua y sal, y dejando hervir hasta que espese.

HUEVOS CON CHILES ANCHOS

 media  4 personas  10 minutos  bajo

INGREDIENTES

- 400 g de tomate
- 1/2 pieza de queso fresco
- 6 huevos grandes
- 3 cucharadas de crema de leche
- 2 chiles anchos
- 2 cucharadas de manteca
- 1 cebolla rebanada chica

Los chiles se desvenan y se parten en tiritas como de un centímetro de ancho. En la manteca se acitrona la cebolla y se le añaden las rajitas de chile, el tomate asado, molido y colado, que se deja consumir a la mitad. Entonces se añaden dos tazas de agua y se sazona con sal y pimienta; cuando comienza a hervir, se van poniendo los huevos, con mucho cuidado para que no se rompa la yema, y se dejan hervir unos tres minutos para que la yema quede tierna. Se les pone el queso en rebanadas y la crema.

HUEVOS A LA MEXICANA

 baja  6 personas  15 minutos  bajo

INGREDIENTES

- 6 huevos frescos
- 4 chiles poblanos
- 400 g de tomate
- 30 g de mantequilla
- 100 g de queso fresco
- 1 cucharada de cebolla picada
- 1/8 de litro de crema de leche

En un platón de loza refractaria, engrasado con mantequilla, se pone un poco de la salsa; se acomodan los huevos cocidos, partidos por la mitad y a lo largo; encima se pone el resto de la salsa, la crema y el queso en rebanadas; se mete unos minutos al horno caliente.

Salsa: En una cucharada de manteca o mantequilla se acitrona la cebolla, se agregan las rajas de chile poblano y se dejan freír un poco; se añade el tomate asado y molido, y se deja freír.

HUEVOS REVUELTOS A LA MEXICANA

 baja  4 personas  15 minutos  bajo

INGREDIENTES

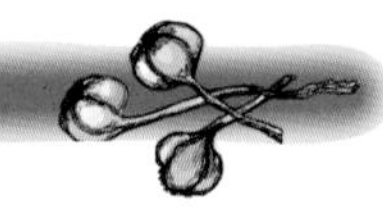

- 5 huevos frescos
- 2 tomates pelados y finamente picados
- 1 cucharadita de cebolla finamente picada
- 1 chile verde finamente picado
- 1 ramita de cilantro finamente picado
- aceite de oliva, el necesario para freír
- sal y pimienta la necesaria

Se parten los huevos en una fuente, se revuelven con el resto de los ingredientes y se sazonan con la sal y la pimienta. Si se desea, se le pueden quitar las semillas al tomate. Todo bien revuelto, se fríe en el aceite caliente a fuego muy suave, y se va enrollando con una espátula, para que quede en forma de tortilla, que deberá quedar bastante tierna.

CREMA DE HITLACOCHE

 baja  4 personas  30 minutos  bajo

INGREDIENTES

- 1 huitlacoche
- 30 g de mantequilla
- 1 cebolla pequeña
- 1 diente de ajo
- 20 g de harina
- 1/2 litro de caldo
- 1/2 litro de leche
- epazote
- 1 huevo
- 1 dl de nata

En la mantequilla se fríen la cebolla y el ajo, y se agrega la harina, moviéndola; cuando la mezcla empieza a tomar color se añade la leche poco a poco, el caldo y el huitlachoche (que se habrá molido previamente en la licuadora con un poco de caldo); se le pone la rama de epazote y se deja a fuego lento 10 minutos.

En la sopera se deposita la crema y se vacía la sopa hirviendo.

CALDO TLALPEÑO

 baja

 6 personas

 45 minutos

 bajo

INGREDIENTES

- 1 pechuga de pollo
- 1 y 1/2 litros de caldo
- 250 g de garbanzos cocidos
- 2 dientes de ajo
- 100 g de zanahoria pelada y cortada a cubos
- 100 g de cebolla picada
- 2 chiles chipotles
- 1 aguacate
- 2 tomates
- 2 chiles serranos
- 1 rama de epazote
- aceite
- limones

Se limpia muy bien la pechuga, se corta en partes y se lava. Una vez lavada, la verdura se corta por los extremos y se parte en rajas. Los chiles chipotles se abren, se les quita las semillas y se fríen en un poco de aceite.

Se pone a cocer la pechuga en dos litros de agua fría. Se le agregan los garbanzos, zanahorias, cebolla, ajo, ejotes, los chipotles y la rama de cilantro, con sal al gusto. Se deja hervir a fuego vivo hasta que la carne y verduras estén bien cocidas. Si es necesario, se agrega agua fría. Si no se quiere muy picoso, los chipotles se agregan al final, dejándolos sólo un hervor.

Se sirve bien caliente, procurando que cada plato tenga de todas las verduras, y se le agregan una a dos rebanadas de aguacate.

SOPA TARASCA

 baja  4 personas  20 minutos  bajo

INGREDIENTES

- 1/2 de kg de tomates
- 1 cucharada de cebolla picada
- 1/2 pieza de queso fresco
- 5 tortillas delgadas
- 1 y 1/2 litros de caldo
- 3 chiles poblanos
- 1/2 taza de crema de leche
- 100 g de manteca

En una cucharada de manteca se acitrona la cebolla; se agrega el tomate asado, molido y colado; se deja freír; se le añade el caldo y se sazona.

En la sopera se pone el queso en rebanadas, las tortillas, fritas y cortadas en pequeños rombos, y los chiles, que después de bien desvenados se habrán frito ligeramente y partido en trozos. Se vacía el caldito hirviendo y en cada plato se pone una cucharada de crema.

CREMA DE ELOTE

 baja  4 personas  60 minutos  bajo

INGREDIENTES

- 100 g de jamón
- 50 g de mantequilla (media barrita)
- 50 g de harina
- 10 elotes muy tiernos
- 3 yemas de huevo
- 1 litro de leche
- sal y pimienta, al gusto

Se desgranan con cuchillo las mazorcas y se ponen a cocer los granos con un pedacito de mantequilla y sal. En una cazuela se pone la mantequilla a la lumbre y se revuelve la harina. Al empezar a dorarse se agrega la leche, moviendo constantemente hasta que dé un hervor. Se quita del fuego y se le incorporan las yemas una a una, batiendo suavemente. Se añaden los elotes y se vuelve al fuego para dejarlo sazonar con sal y pimienta.

CALDO XOCHITL

 baja

 4 personas

 4 horas

 bajo

INGREDIENTES

- 500 g carne de cerdo
- 250 g de carne de res
- 250 g de garbanzos
- 100 g de tomate
- 1 cebolla chica
- 1/2 pollo
- 50 g de chiles chipotles
- 1 rama de epazote
- aceite o manteca, lo necesario
- sal y pimienta, al gusto

En un recipiente adecuado se vierten tres litros de agua y en ella ponemos a hervir las carnes de cerdo y de res, por espacio de dos horas. Se agrega el pollo y se deja cocer una hora más.

Se pica el tomate, la cebolla, los chipotles, y se fríen bien para añadirlos al caldo junto con el epazote. Se pone a fuego lento y se deja sazonar durante quince minutos más antes de servirse a la mesa.

ARROZ VERDE

 baja  4 personas  35 minutos  bajo

INGREDIENTES

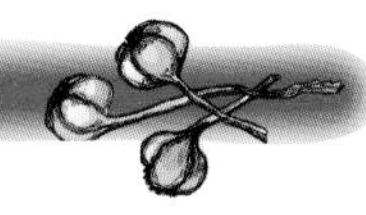

- 1 taza de arroz
- 2 tazas de agua
- 2 tazas de leche hervida
- 1 pedazo de cebolla
- 2 dientes de ajo
- 4 chiles poblanos
- 150 g de manteca (o aceite)
- 1 rama de perejil
- 3 huevos cocidos

El arroz se pone a remojar quince minutos en agua caliente; después se lava y se escurre. Los chiles se tuestan ligeramente, sólo para poder quitarles el pellejo; se envuelven en plástico; después de unos minutos se les quita el pellejo, se les saca las semillas y se muelen en la licuadora junto con la leche.

En la manteca se fríe el arroz; cuando apenas empieza a dorarse, se le agregan la cebolla y el ajo; éstos se fríen hasta que queden transparentes; entonces al arroz se añade el agua, el perejil y una cucharada escasa de sal; se deja hervir 10 minutos tapado y a fuego regular; después se le reduce un poco el calor y se deja que se consuma el agua; se le agrega la leche con el chile; se deja hervir tapado hasta que se seque. Se adorna con rebanadas de huevo cocido.

ARROZ A LA MEXICANA

 baja
 4 personas
 30 minutos
 bajo

INGREDIENTES

- 500 g de arroz
- 2 tomates
- 2 dientes de ajo
- 2 hígados de gallina
- 2 mollejas de gallina
- 2 pimientos morrones
- 1 litro de caldo
- aceite o manteca, lo necesario
- sal y pimienta, al gusto

Se lava el arroz, cambiándole varias veces el agua. Se muelen los tomates y el ajo, y se fríen en aceite o manteca bien caliente. Se le agrega el arroz, el caldo, los hígados y las mollejas picadas; se sazona con sal y pimienta y se deja hervir. Se sirve adornado con tiras de pimiento morrón.

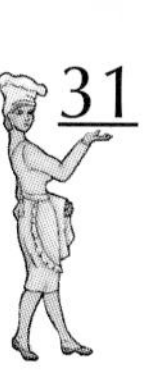

ARROZ CON CHILES POBLANOS

 media  4 personas  45 minutos  bajo

INGREDIENTES

- 250 g de arroz de primera
- 150 g de aceite (o manteca)
- 1/8 de litro de crema de leche
- 4 chiles poblanos
- 2 dientes de ajo
- 2 tazas de agua
- 2 tazas de leche
- 2 elotes tiernos
- 1 cebolla chica
- 4 rebanadas de queso fresco

Se desvenan los chiles, luego se tuestan, se envuelven en plástico para quitarles el pellejo, se rellenan con una rebanada de queso y los granitos de elote previamente cocidos; se atoran con un palillo de dientes y se fríen de forma uniforme.

Se pone el arroz a remojar 15 minutos en agua caliente; después se lava, cambiándole varias veces el agua hasta que salga limpia; se escurre; se fríe en la manteca caliente.

Cuando apenas va a empezar a dorarse, se le agrega el ajo y la cebolla; se escurre; se le añade el agua y una cucharada de sal; se tapa y se deja hervir a fuego regular durante 10 minutos. Se reduce después el calor y, cuando ha absorbido el agua, se le acomodan los chiles sin los palillos, se le añade la leche y se deja en el fuego el tiempo suficiente para que se consuma totalmente la misma. Para servir, se le agrega la crema por encima.

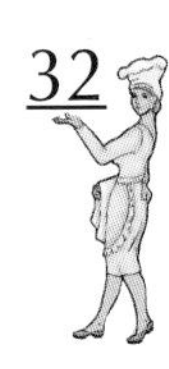

NOPALITOS DE VIGILIA

 baja  4 personas  60 minutos  bajo

INGREDIENTES

- 1/2 kg de nopalitos
- 2 tomates
- 100 g de camarones secos
- 1 cebolla
- 2 ajos frescos
- 2 chiles
- sal
- aceite

Se limpian de espinacas los nopales; se lavan; se pican como de 1 × 3 centímetros; se ponen a cocer en agua con sal y la cebolla con rabo hasta que se sientan suaves; se escurren en una coladera. Los camarones se lavan; se ponen a cocer en un litro de agua durante 25 minutos; se apartan del fuego y se mondan. Para que no piquen los chiles cuaresmeños, se desvenan con un cuchillo y se parten en pequeñas rajitas.

En el aceite se fríen la cebolla picada y los chiles en rajitas; cuando la cebolla esté transparente, se agrega el tomate asado y molido, y se deja consumir la mitad; luego se añade el caldo en que se cocieron los camarones y los nopales; los camarones se sazonan y se dejan hervir 15 minutos; se añaden los huevos (que se habrán batido ligeramente); éstos sólo deben hervir hasta cuajarse.

CALABACITAS RELLENAS

 baja

 4 personas

 30 minutos

 bajo

INGREDIENTES

- 250 g de carne de cerdo, molida
- 150 g de queso añejo
- 50 g de mantequilla
- 1/2 cebolla
- 8 calabacitas
- 3 tomates
- 1 diente de ajo
- manteca o aceite, lo necesario
- sal y pimienta al gusto

Se cuecen las calabazas con agua y sal. Cuando estén suaves se sacan, se les corta la parte superior y se vacían con una cuchara. Se pica la pulpa con un tomate y la cuarta parte de una cebolla, y se fríe con la carne molida. Con esto se rellenan las calabacitas, que se colocan en un platón refractario y se cubren con la salsa de los tomates restantes elaborada con el ajo y la cuarta parte de una cebolla, todo molido, el queso desmoronado y trocitos de mantequilla para gratinarlas al horno.

TORTAS DE CAMOTE

 alta  4 personas  60 minutos  bajo

INGREDIENTES

- 500 g de camote
- 500 g de tomate
- 250 g de carne de cerdo, molida
- 25 g de almendras picadas
- 25 g de pasas
- 1/4 de una cebolla
- 3 huevos
- 3 cucharadas de harina
- manteca o aceite, lo necesario
- sal al gusto

Se pone a cocer el camote con sal; cuando esté cocido, se pela y se corta en rebanadas delgadas. Se pica la cebolla y se fríe con la carne, las almendras y las pasas, sazonando con sal y pimienta. Se deja resecar un poco a fuego lento, mientras que se baten los huevos.

Las tortas se preparan con dos rebanadas de camote, colocando un poco de picadillo entre ambas; se revuelcan luego en harina y se rebozan en huevo para freírlas en manteca o aceite bien caliente. Se doran bien, se sacan y se escurren.

Se muelen la cebolla y el tomate, y se fríen en la manteca sobrante de las tortitas. Se añade agua suficiente para el caldillo, sazonando con sal y pimienta. Se sube el fuego y se deja hervir hasta que espese. Las tortitas se incorporan poco antes de servirse, para que no se remojen mucho.

ENCHILADAS DE CHILE DULCE

 media  4 personas  40 minutos  bajo

INGREDIENTES

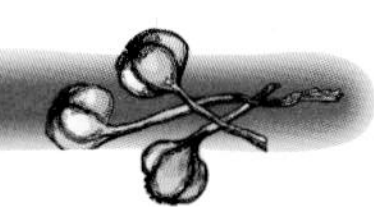

- 2 docenas de tortillas delgadas
- 100 g de chile mulato
- 100 g de queso añejo
- 100 g de manteca
- 1 tablilla de chocolate
- 2 dientes de ajo
- 2 cucharadas de cebolla picada
- 1/4 de litro de crema de leche
- 1 pechuga de pollo cocida

Se desvenan los chiles, se tuestan ligeramente y se ponen a remojar en agua tibia; a continuación, se muelen en la licuadora junto con un poco del caldo en el que se coció la pechuga, y con el chocolate y los dientes de ajo; todo esto se fríe en dos cucharadas de manteca, se sazona con sal y un poquito de azúcar; si es necesario, se agrega un poco de caldo.

Las tortillas se fríen ligeramente, se van mojando en el chile bien caliente, se les añade un poco de pechuga deshebrada y crema; luego se enrollan; finalmente se les pone encima el chile que sobró, el queso desmoronado y cebolla picada.

CHACUALA DE POLLO

 media

 4 personas

 30 minutos

 bajo

INGREDIENTES

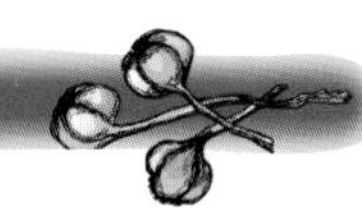

- 1 pechuga de pollo
- 100 g de tomatillos verdes
- 1 diente de ajo
- 1 cebolla pequeña
- 2 chiles anchos
- 70 g de manteca
- harina
- sal y pimienta

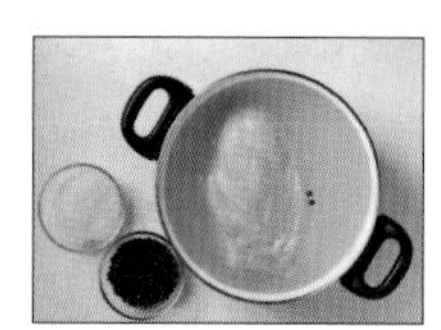

1 Cocemos el pollo en agua hirviendo con sal y pimienta. Dejamos enfriar y deshebramos.

2 Los chiles se desvenan; se tuestan ligeramente y se ponen a remojar en un poco de caldo de pollo caliente.

3 Hacemos la salsa cociendo los tomatillos. Molemos con los chiles, el ajo y la cebolla, y freímos en manteca.

4 Doramos la harina en dos cucharadas de manteca hasta que tome color, añadimos el caldo, incorporamos el pollo y salpimentamos.

TRUCOS

La pechuga de pollo quedará mucho mas tierna si la ponemos en remojo en leche durante media hora antes de cocerla.

PRESENTACIÓN

Servimos muy caliente.

MOLE VERDE POBLANO

 baja
 4 personas
 30 minutos
 bajo

INGREDIENTES

- 1/2 kg de cerdo
- 100 g de tomates verdes
- 2 chiles serranos
- 1 cebolla pequeña
- 30 g de pepita de calabaza
- 1 lechuga
- manteca
- sal
- epazote
- cilantro

1 Se cuece el cerdo en agua hirviendo hasta que esté tierno.

2 Se muelen la cebolla, los chiles, el ajo, los cominos, unas hojas de lechuga y el cilantro.

3 Freímos en la manteca y añadimos medio litro de caldo de carne. Agregamos pepita molida y dejamos cocer. Sazonamos.

4 Cuando la salsa esté bien cocida, rociamos con ella la carne.

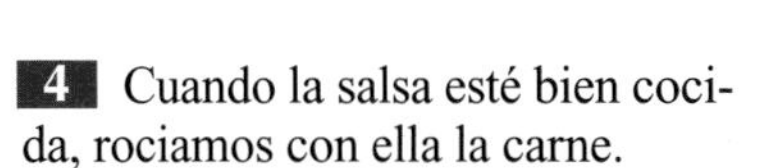

TRUCOS

Si queremos ablandar un poco la carne de cerdo, la frotaremos bien con bicarbonato y la dejaremos reposar un par de horas. La lavaremos antes de cocer.

PRESENTACIÓN

Se sirve muy caliente.

LOMO DE CERDO ENCHILADO

media

4 personas

45 minutos

bajo

INGREDIENTES

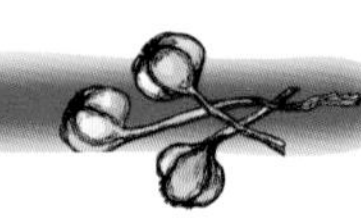

- 1/2 kg de lomo de cerdo
- 3 chiles anchos
- 1 diente de ajo
- 1/2 kg de patatas
- aceite o manteca
- sal y pimienta

1 Se corta el lomo en rebanadas medianas y se doran en cuatro cucharadas de aceite caliente. Lo conservamos en una cazuela.

2 Pelamos y cortamos las patatas en trozos grandes. Freímos en la grasa y luego las incorporamos a la carne.

3 Se muelen los chiles con ajo y se fríen en la grasa. Diluimos con agua y añadimos a la cazuela.

4 Se tapa y se deja hervir a fuego suave, hasta que la carne esté tierna, momento en que la salsa habrá quedado espesa y en su punto.

TRUCOS

Si vamos a utilizar carne congelada, debemos descongelarla en un lugar fresco, nunca al sol. Al tiempo de cocinarla, debemos tener en cuenta que requerirá más condimentos que la carne fresca, y un tiempo mayor de cocción, así como cocinarla a fuego lento.

PRESENTACIÓN

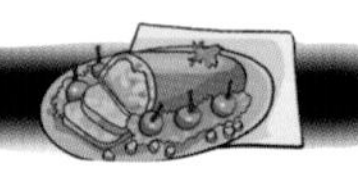

Serviremos la carne en una fuente, cortada en rodajas y acompañada por las patatas. Presentaremos la salsa aparte.

CLEMOLE

 baja

 6 personas

 40 minutos

 bajo

INGREDIENTES

- 1 kg de cuete de res
- 4 huevos de tuétano
- 3 patatas medianas
- 2 elotes tiernos
- 6 calabacitas tiernas
- 2 zanahorias
- 1 nabo
- 1 diente de ajo
- 2 ramas de cilantro
- 3 hojas de yerbabuena
- 6 chiles verdes (serranos)
- 1/2 cebolla chica

1 Se parte la carne en trozos pequeños. Se pelan las patatas, se raspan las zanahorias y el nabo y se corta la verdura en cuatro partes, y los elotes posteriores se cortan en rodajas.

2 Se pone a cocer la carne y los huesos, quitando de cuando en cuando la espuma que sube.

Cuando la carne esté casi cocida, se añade el trozo de cebolla, la verdura y las hojas de yerbabuena.

3 Cuando esté cocido todo, se agrega la salsa y el cilantro para que le dé sabor y se da un hervor.

TRUCOS

Este plato resultará más jugoso si lo preparamos el día anterior a consumirlo.

PRESENTACIÓN

A la hora de servir podemos espolvorear un poquito de pimienta molida.

PUNTAS DE FILETE A LA MEXICANA

 baja

 4 piezas

 30 minutos

 bajo

INGREDIENTES

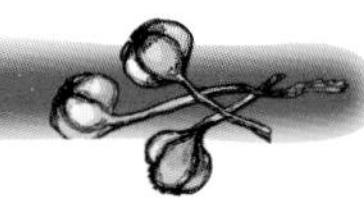

- 1/2 kg de puntas de filete
- 3 tomates
- 1 cebolla chica
- 1 diente de ajo
- 4 chiles verdes serranos
- aceite
- pizcas de yerbas de olor al gusto

1 En una cacerola con dos cucharadas de aceite se pone a freír la carne bien tapada para que suelte el jugo.

2 Aparte se sofríe el picadillo de tomates, cebolla, ajo, chiles.

3 Sofreímos el picadillo de tomate y lo sazonamos al gusto.

4 Se vierte sobre la carne y se agregan las yerbas de olor.

TRUCOS

Un truco para que la carne quede más blanda, es frotarla con papaya, o en el caso de que no sea la estación, se le puede rociar un poco de vinagre unas horas antes de cocinar.

PRESENTACIÓN

Servir caliente, bien mezclado con la salsa.

PIZOTL EN CHILTEXTLI

 media

 4 personas

 60 minutos

 bajo

INGREDIENTES

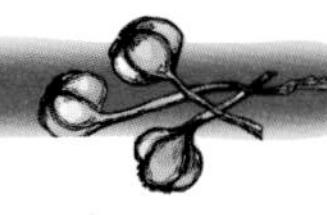

- 450 g de carne de cerdo en trozos pequeños
- 1 kg de chiles pasilla
- 40 g de camarón seco
- 4 g de ajonjolí
- 1 chile mulato
- 1 chile ancho
- 1 chile adobado
- crema agria al gusto
- aceite o manteca, lo necesario
- sal y orégano al gusto

1 En una cazuela se calienta la manteca y se fríe la carne hasta que casi se consume la grasa.

2 Los chiles, sin desvenar y sin quitarles las semillas se tuestan, se muelen con un poco de agua y se fríen. Se tuesta el ajonjolí y se muele y después se muele el camarón.

3 Se incorpora todo lo ya elaborado al chile molido, añadiendo sal y orégano. Vertemos todo sobre la carne.

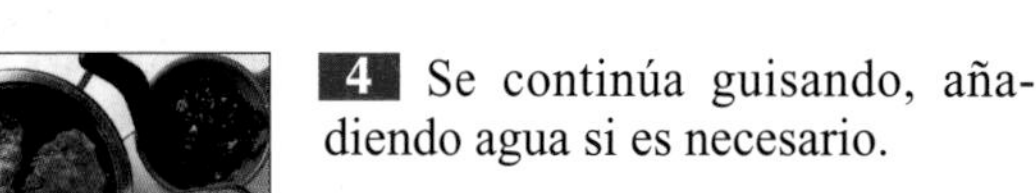

4 Se continúa guisando, añadiendo agua si es necesario.

TRUCOS

A la hora de elegir la carne de cerdo, debemos saber que la buena carne es la que tiene un color rosado o rojo pálido.

PRESENTACIÓN

Se sirve bien caliente, agregando una cucharada de crema agria en cada plato.

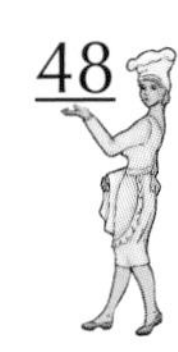

ASADO DE CUETE CON CHILE

 alta

 4 personas

 6 horas

 bajo

INGREDIENTES

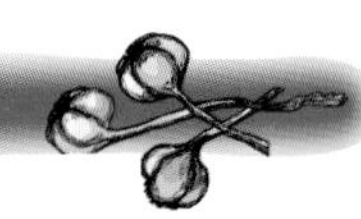

- 1/2 kg de cuete
- 50 g de chile mulato
- 1 diente de ajo
- 1 clavo
- 1 cucharada de azúcar
- 2 cucharadas de vinagre
- 1/4 kg de patatas avellanita
- 50 g de manteca

1 Se limpia el cuete con un trapo limpio y se fríe en la manteca hasta que resulte de un dorado uniforme.

2 En la misma grasa se fríe el chile, que se habrá tostado, remojado y molido con el ajo y clavo.

3 Se agrega el agua hasta que cubra bien y vinagre; se sazona con sal y azúcar; se tapa y se deja hervir a fuego lento de 5 a 6 horas.

4 Se le agregan entonces las patatitas peladas para que cuezan en el chile, el cual debe quedar espesito.

TRUCOS

Para que la carne te quede bien, como en el horno, no olvides al destapar la cacerola retirar la tapa en forma horizontal, secar con un trapo rejilla y volver a tapar.

PRESENTACIÓN

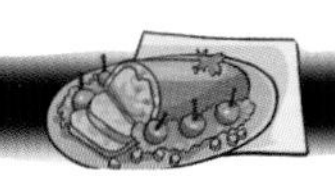

Servir la carne cortada en rodajas, acompañadas por las patatitas. Servir la salsa aparte, en una salsera.

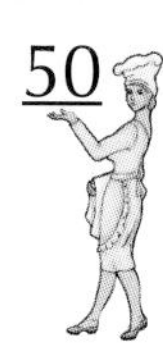

AGUAYÓN ENTOMATADO

 baja  6 personas  90 minutos  bajo

INGREDIENTES

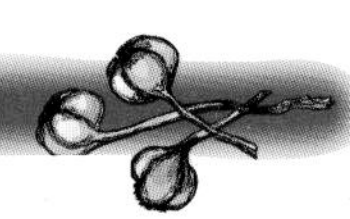

- 1 kg de aguayón cocido en el caldo
- 1/2 kg de tomates verdes
- 1 diente de ajo
- 1 cebolla regular
- 1/2 cucharadita de orégano
- 1 litro de caldo
- 1 cucharada de aceite y otra de vinagre
- 2 cucharadas de manteca (o aceite)
- aceitunas y chiles en vinagre, al gusto

1 Ponemos a cocer la carne con abundante caldo por lo menos media hora con sal y pimienta, dejándola luego enfriar en el mismo.

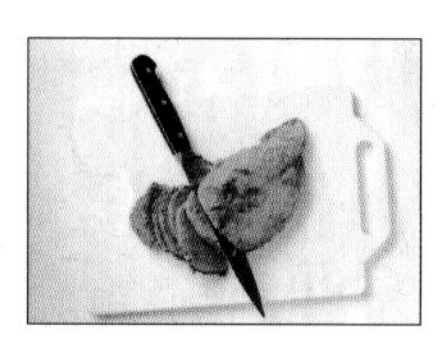

2 Sacamos luego el aguayón y procedemos a cortarlo, procurando que las rebanadas sean iguales.

3 Rebanamos la cebolla, picamos finamente el ajo y a continuación freímos todo en aceite.

4 Por último se pone el orégano en polvo, aceite, vinagre, aceitunas y chiles en vinagre, y se deja hervir unos cinco minutos más.

TRUCOS

Si compraste una pieza de carne y no te salió lo tierna que hubieras querido, simplemente riégala con un chorrito de brandy. No debes preocuparte por el sabor a brandy, ya que desaparecerá completamente.

PRESENTACIÓN

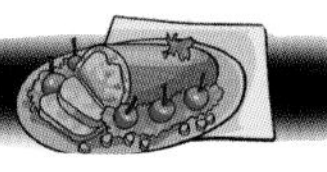

Serviremos en una fuente, adornando con aceitunas y los chiles en vinagre.

CONEJO AL PASTOR

 baja

 4 personas

 45 minutos + 1 día

 bajo

INGREDIENTES

- 1 conejo grande o 2 chicos
- 5 limones
- sal al gusto.

Salsa:

- 100 g de chile pasilla
- 2 dientes de ajo
- 1 cucharada de cebolla picada
- 1 naranja

1 El día antes de cocinarlo, partimos el conejo en raciones regulares, que lavamos y secamos, y se le pone jugo de limón y sal.

2 Al día siguiente se asa en el horno de carbón, bien untado con manteca.

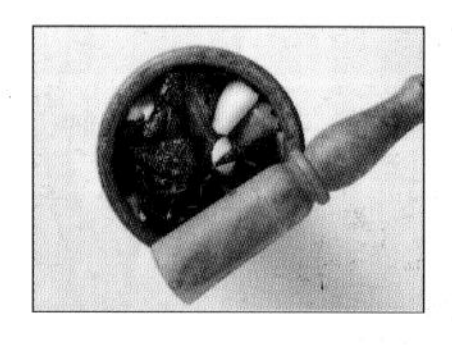

3 SALSA: Se desvenan los chiles y los tostamos ligeramente, los remojamos en agua caliente y molemos con los dientes de ajo.

4 Se le agrega picada la cebolla; se sazona con sal y jugo de naranja.

TRUCOS

El conejo no se debe cocer demasiado, pues su carne quedará fibrosa. Si quieres que la carne sea más jugosa, ponlo en remojo con leche durante 24 horas.

PRESENTACIÓN

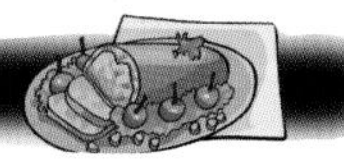

Servir caliente.
Presentar la salsa aparte, en un salsera.

CERDO CON CHILE POBLANO

 baja
 4 personas
 45 minutos
 bajo

INGREDIENTES

- 3/4 de kg de patatas amarillas
- 1/2 kg de pulpa de cerdo
- 4 chiles poblanos
- 1 cebolla regular
- 1 diente de ajo
- 50 g de manteca

1 Ponemos a cocer la carne partida en trozos y limpia en medio litro de agua con un ajo y sal.

2 Pelamos las patatas y las partimos en cachos de tamaño regular.

3 Freímos las patatas en manteca, con la cebolla rebanada y los chiles sin pellejo y cortadas en rajitas.

4 Agregamos la carne con su caldo de cocción y dejamos hervir hasta que las patatas estén bien cocidas.

TRUCOS

Cortarás más fácilmente la carne cruda si mojas previamente el cuchillo con agua.

PRESENTACIÓN

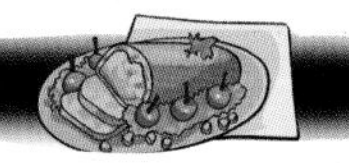

Sevir muy caliente.

LENGUA EN ALMENDRADO

 media

 6 personas

 60 minutos + 6 horas

 bajo

INGREDIENTES

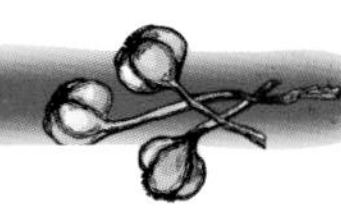

- 1 lengua
- 50 g de almendra
- 600 g de tomate
- 1/4 de bolillo de pan frito
- 1 clavo
- 4 pimientas delgadas
- 1 rajita de canela
- 1 diente de ajo
- 1 cebolla chica
- 1 copa de jerez
- 12 aceitunas
- 4 chiles en vinagre, largos
- 75 g de manteca (o aceite)

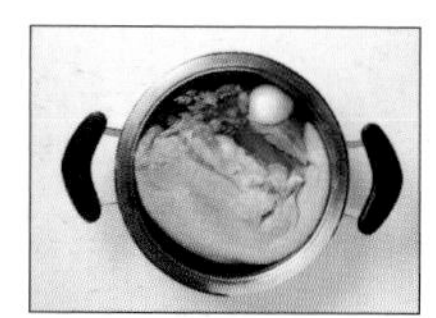

1 Tras lavar muy bien la lengua, la ponemos a cocer en dos litros y medio de agua durante cinco o seis horas.

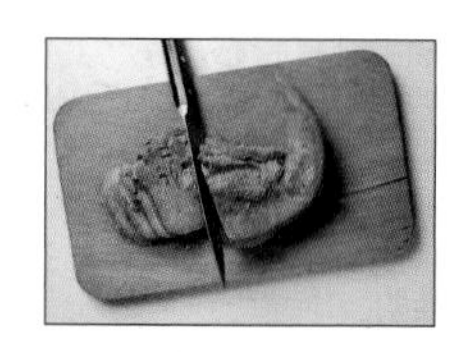

2 Una vez cocida, eliminamos el pellejo y la cortamos en rebanadas regulares.

3 Freímos en un poco de manteca el pan, las almendras con cáscara, el tomate entero, ajo y cebolla; molemos con clavo, cebolla, pimienta y canela.

4 Freímos luego todo en dos cucharadas de manteca; agregamos el vino y caldo y cocemos la lengua con todo durante media hora más.

TRUCOS

Una forma fácil de quitar la piel a la lengua es comenzando por la punta, ya que la piel se despegará con mayor facilidad. Para cortarla es aconsejable empezar por la punta en rodajas inclinadas y paralelas.

PRESENTACIÓN

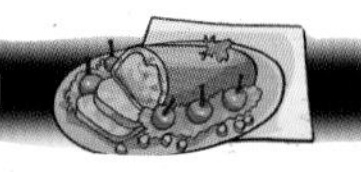

Servir adornando con las aceitunas y los chiles en vinagre. Presentar la salsa aparte.

TORTITAS DE BACALAO

 media

 4 personas

 45 minutos + 1 día

 bajo

INGREDIENTES

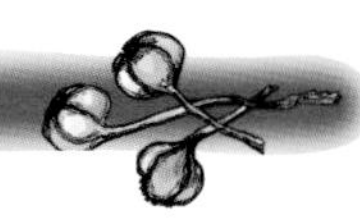

- 1/4 kg de bacalao
- 1 cucharada de perejil picado
- 1 cucharadita de cebolla picada
- 3 cucharadas de pan molido
- 2 huevos
- 4 cucharadas de aceite o manteca

Se pone a remojar el bacalao, desde la víspera, cortado en pedazos; al día siguiente se tira ese agua y se pone a cocer en agua limpia.

Ya cocido, se desmenuza y se le revuelven la cebolla, el perejil y el molido. Los huevos se baten como para capear y se fríe todo bien doradito.

HUACHINANGO A LA CAMPECHANA

 media  4 personas  45 minutos  bajo

INGREDIENTES

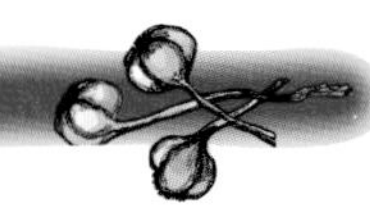

- 1 huachinango
- 1 cebolla
- 4 tomates
- 1 tarro de chiles jalapeños en vinagre
- 2 chiles jalapeños
- 1 cucharada de vinagre
- 1/2 taza de aceite
- 1/2 taza de vino blanco
- 2 dientes de ajo
- orégano
- laurel
- tomillo
- caldo concentrado
- harina
- sal y pimienta

Bien lavado y seco el pescado, se pasa por harina y se fríe en aceite caliente, por ambos lados, sin dejar que se dore. Se escurre luego sobre papel absorbente. A continuación, se coloca el pescado en un platón y se cubre con la salsa. Adornamos con las aceitunas, los jalapeños, zanahorias y las alcaparras.

Para elaborar la salsa: Se acitrona la cebolla picada, se añaden las hierbas aromáticas, el vinagre, el vino, el tomate sin piel ni semillas y picado, la sal, el caldo concentrado y el jugo de los jalapeños. Se deja hervir cinco minutos, se retiran las hierbas y se deja enfriar.

Este pescado deberá cocinarse un día antes de ser consumido.

PESCADITOS FRITOS

 media  4 personas  20 minutos  bajo

INGREDIENTES

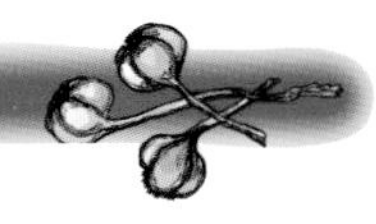

- 4 pescaditos enteros
- harina
- aceite
- pan rallado y perejil
- 1 limón

Los pescadoss se vacían y limpian bien, secándolos con un trapo limpio. Se espolvorean de sal fina, se enharinan y se fríen en aceite caliente hasta que se doren. En una sartén aparte y en aceite, se fríen un par de cucharadas de pan rallado, añadiendo al final un poco de perejil finamente picado.

Los pescaditos se ponen en una fuente; se riegan con el pan y el perejil fritos, y se adorna el plato con rodajas de limón.

CHILES EN FRÍO RELLENOS DE ATÚN

 media  4 personas  30 minutos  bajo

INGREDIENTES

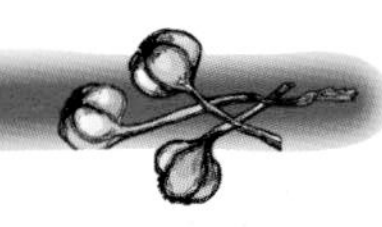

- 6 chiles poblanos grandes
- 2 cucharadas de aceite de oliva
- 1/8 de litro de vinagre
- 1 pedazo grande de cebolla
- 1 diente de ajo

Relleno:

- 1 latita de atún
- 1 latita de chícharos
- 1 cucharada de cebolla picada
- 200 g de tomate
- 1 aguacate grande
- 1/2 taza de crema de leche
- 2 tomates para adorno

Se preparan los chiles en la misma forma que recetas ya conocidas. El atún, ligeramente desmenuzado, se mezcla con los chícharos, la cebolla y el tomate finamente picados; también se mezcla con el aguacate picado y con una cucharada de aceite; se sazona con sal y pimienta. Con esta mezcla se rellenan los chiles, que se acomodan en un platón; luego se bañan con la crema, sazonada con sal y pimienta, y se adornan con rebanadas de tomate.

MEDIOS PESCADOS CON MOJO ROJO

 media

 4 personas

 20 minutos

 bajo

INGREDIENTES

- medio pescado
- salsa roja
- huevo
- harina
- aceite
- perejil

Los lenguados se limpian y se lavan, cortándoles en filetes (es mejor que se haga en la pescadería).

Se echa sal y se pasa por huevo batido y harina. Entonces, se enrolla el filete y se le clava un palillo.

Se fríen en aceite muy caliente, colocándolos de forma ordenada y echándoles perejil. Por otro lado, se debe preparar una salsa roja bien frita y picosa.

BIENMESABE DE COCO

 media  4 personas  60 minutos  bajo

INGREDIENTES

- 4 yemas de huevo
- 500 g de azúcar
- 300 g de pulpa de coco
- 1 rebanada de pan de caja

Se pela el coco, quitándole hasta lo último de la corteza interior. La pulpa blanca se corta en pedacitos y se muele, en pocas cantidades cada vez, con la menor cantidad posible de agua caliente. Se exprime la pulpa con un trapo limpio, y la leche de coco resultante se pone al fuego con el azúcar hasta que hierva y empiece a espesar. Entonces se quita del fuego y se deja enfriar. En un poco de esta mezcla se desbaratan las yemas. Se vuelve a poner al fuego y se le van añadiendo las yemas en hilito fino para que no se cuajen, removiendo constantemente.

FLAN DE DURAZNOS

 media  4 personas  60 minutos  bajo

INGREDIENTES

- 1/2 kg de duraznos
- 8 cucharadas de azúcar
- 1 taza de leche
- 4 huevos

Procedemos en primer lugar a cocer en agua hirviendo los duraznos; los pelamos, eliminamos el hueso y cocemos con dos cucharadas de azúcar.

Calentamos en un molde dos cucharadas de azúcar hasta formar caramelo y lo dejamos enfriar. Con el azúcar restante batimos los huevos y les agregamos la leche; mezclamos bien; colocamos las mitades de los duraznos alrededor del molde y rellenamos éste con la leche. Tapamos la flanera y cocemos en el horno, precalentado diez minutos antes, al baño María, aproximadamente durante cuarenta minutos.

AREQUIPA DE PIÑA

 baja  6 personas  60 minutos  bajo

INGREDIENTES

- 250 g de harina de arroz
- 1 piña
- 1 litro de leche
- azúcar al gusto

Se pela la piña y se parte en trozos regulares; se pone a hervir en suficiente agua y se deja consumir para conservar el jugo que suelte, exprimiendo bien los pedazos de la fruta.

Por separado, se pone al fuego la leche, que ya se ha hervido previamente, agregándole el azúcar y la harina de arroz. Se agrega el jugo de piña y se mueve al fuego hasta que espese.

TARTALETAS DE HIGO Y NUEZ

 baja  4 personas  30 minutos  bajo

INGREDIENTES

- 4 higos pelados
- 1/4 de taza de miel de abejas
- 1/4 de taza de vino blanco, o jugo de naranja
- 50 g de nueces en mitades
- 4 tartaletas

Mezclamos primero la miel con el vino o el jugo de naranja; ponemos luego la mezcla al fuego, con los higos partidos en cuatro.

Cuando la miel esté casi seca, la mezclamos con las nueces, dejamos enfriar y llenamos las tartaletas.

POSTRE DE MELÓN

 media  4 personas  60 minutos  bajo

INGREDIENTES

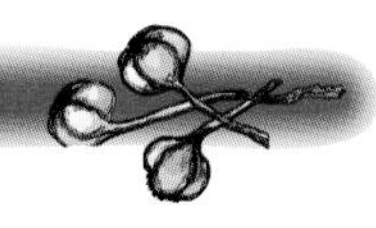

- 1/2 kg de pulpa de melón
- 1/4 kg de azúcar
- 3 yemas de huevo
- 100 g almendras

Se moja el azúcar y se pone al fuego hasta que tome punto de hebra; se le agrega entonces la pulpa del melón y las almendras bien molidas. Se deja espesar, moviendo siempre, para que no se pegue; se retira del fuego y, cuando se ha enfriado un poco, se incorporan las yemas batidas.

Se vuelve a poner al fuego, hasta que al mover se vea el fondo del cazo; se deja enfriar y se vacía en un platón, adornándolo con rajitas de almendra.

JERICALLA

 media  4 personas  45 minutos  bajo

INGREDIENTES

- 115 g de azúcar
- 2 yemas
- 1/2 litro de leche
- 2 huevos
- 1 raja de canela
- mantequilla

Se hierve la leche con azúcar y canela, durante tres minutos. Aparte, se mezclan las yemas y los huevos. Se agrega la leche después que se haya enfriado un poco, y se deposita la preparación en tacitas refractarias untadas con mantequilla. Las ponemos al baño María en el horno, que debe estar a 200 °C, para que se doren, y las servimos.

DULCE EXQUISITO DE HIGO MADURO

 baja  6 personas  60 minutos  bajo

INGREDIENTES

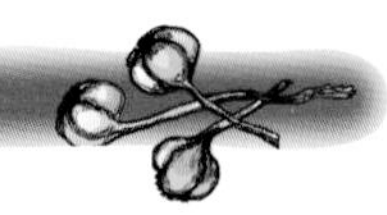

- 1 kg de higos maduros
- 400 g de miel de abeja
- 150 g de nuez picada

Se lavan los higos, se les quita la cabecita, se parten a la mitad, a lo largo; se les agrega la miel de colmena, se ponen al fuego, moviéndolos hasta que tomen punto de mermelada espesa. Hecha la mermelada, se apartan del fuego, se les añade la nuez, se vacían en una charola o molde refractario y, ya fríos, se cortan en cuadritos.

DICCIONARIO DE TÉRMINOS CULINARIOS

Castellano - Americano

A

Abadejo	Bacalao
Abrillantar	Cubrir (Méx.), Enrobar
Acedera	Agrilla (Méx.)
Aceite de cacahuete	Aceite de maní (Arg., Chil., Méx., Per.), Cacao de la tierra (Per.)
Aceituna	Oliva
Aderezar	Aliñar, Condimentar, Sazonar
Adobo	Aliño, Marinada
Agua de Azahar	Aguanaza
Aguacate	Aguacate, Abocado (Per.), Palto, Paltá (Arg., Chil., Per.)
Aguardiente	Calaguasca, Abatí, Chiringuito (Arg., Chil., Per.)
Ajiaceite	Ajada (Arg., Chil.), Alioli, Ajolio
Ajo puerro	Puerro, Porro (Arg., Chil., Per.)
Ajonjolí	Sésamo
Albahaca	Alfábega, Alábega
Albarda	Albarailla
Albaricoque	Albarcoque, Damasco (Arg., Chil.)
Albóndiga	Albondiguilla, Bodoque
Alcachofa	Alcaucil, Alcací, Alcuacil
Alcaparra	Pápara
Alcaravea	Comino (Arg., Chil., Per.)
Alfóncigo	Pistacho (Arg., Chil., Per.)
Aliñar	Aderezar, Condimentar
Aliño	Adobo
Alioli	All i Oli, Ajiaceite, Ajada, Ajolio
Almíbar	Sirop, Miel (Per.), Miel de abeja (Arg.)
Almidón	Fécula (Arg., Chil.)
Almirez	Mortero (Arg., Chil., Per.)
Alubia	Habichuela, Judía, Poroto, Arveja, Calamaco, Caraota, Fréjol, Fríjol
Ananás	Ananá, Abacaxí, Piña tropical
Ancas de rana	Patas de rana
Anchoa	Boquerón (Arg., Chil., Per.), Anchova, Bocarte
Apio celerí	Arracachá, Esmirnio, Panul, Perejil macedonio, Apio España
Armar	Recoser
Arroz	Casulla, Macho, Palay
Atún	Bonito (Arg., Chil., Per.), Albácora (Arg., Chil., Per.), Abácora
Azafrán	Brin, Croco, Bijol, Color
Azúcar flor	Azúcar sémola
Azúcar glass	Azúcar lustre
Azúcar molido	Azúcar sémola, Azúcar flor
Azucarillo	Bolado

B

Babilla	Cuete, Cadera
Bacalao	Abadejo
Beicon	Tocino, Panceta (Arg.), Tocineta
Banana	Plátano
Bandeja	Charola (Méx.), Jofaina, Lebrillo (Arg., Chil., Per.)
Barquita	Barquilla (Arg., Chil.)
Batata	Papa dulce (Per.), Boniato, Moniato, Moñato, Camote (Arg., Chil.)
Batidor	Varillas
Baya	Gálvula, Güiro
Becada	Becasina, Bequerada, Coalla, Chilacoa, Chocha, Chorcha, Gallina sorda, Gallineta (Arg.), Pitorra
Bechamel	Bechamela, Besamel, Besamela (Per.), Salsa Blanca (Arg., Chil.)
Besugo	Castañeta, Papamosca
Bistec	Biftec, Bife (Arg., Chil.), Entrecot
Bizcocho	Cauca (Arg., Chil., Per.), Galleta (Arg., Chil., Méx., Per.)
Bol	Tazón, Vasija
Boniato	Batata, Camote (Chil.)
Bonito	Abácora, Albáceora
Boquerón	Alacha, Aladroque, Alefe, Anchoa, Anchoíta, Anchova, Haleche, Lacha
Bote	Lata (Arg., Chil., Per.), Pote (Arg., Chil., Per.), Frasco (Méx.)
Brocheta	Broqueta
Bróculi	Brécol, Coliflor, Repollo morado (Méx.)
Broqueta	Brocheta
Butifarra	Salchicha, Chorizo
Butifarra negra	Morcilla

C

Cabeza de costilla	Agujas, Costillas de ternera
Cabrito	Chivito
Cacahuete	Maní
Cadera	Babilla, Cuete (Méx.)
Café (infusión)	Tinto
Calabacín	Calabacita, Zapallito (Arg., Chil.), Zapallo italiano, Hoco, Zambo
Calabaza	Zapallo, Bulé, Auyama
Calamar	Chipirón
Caldereta de pescado	Caldillo
Caldo corto	Corto cocimiento, Medio caldo
Callos	Mondongo (Arg.), Tripa, Vientre, Guatitas (Chil.), Canan, Menudo
Camarón	Chacalín, Cámbaro, Cangrejo de río (Per.), Quisquilla (Per.)
Canapé	Pasabocas, Pasapalos
Cangrejo de mar	Cámbaro, Barrilete, Cocolia
Cangrejo de río	Cámbaro, Camarón (Chil.), Centola (Méx.), Centolla (Méx.), Jabia
Caramelo	Azúcar tostado
Carne de vaca, de buey, etc.	Carne de res
Cazuela	Cocotte, Vasija
Cebolleta	Cebollino inglés, Cebollita Cambray, Cebolla cabezona
Cebollita de platillo	Cebollino, Cebollita

Cebón Cerdo, Cochino (Méx.), Chanco, Puerco

Cecina Chalona, Chacina, Chanque

Cedazo Cernidor (Méx.), Jibe, Tamiz

Centollo Centolla (Arg.)

Cerdo Cochino (Méx.), Chuchi, Chanco (Arg., Chil., Per.), Tunco, Cocho, Puerco (Arg., Chil., Per.), Cebón

Chalote Ascalonia

Champiñón Seta, Hongo

Chipirón Calamar, Calamarete

Chirla Almeja pequeña

Chocha Becada, Vecasina, Chochita

Chorizo Salchicha

Chuleta Coteleta (Méx.)

Cigala Camarón

Cilantro Coriandro

Civet Estofado

Clarificar Acouchar

Clavo de especia Clavete, Clavo de olor (Arg., Chil.)

Clavo de olor Clavo de especia

Cochinillo Cochinita, Lechón, Tostón, Cerdo

Cocido Olla, Puchero

Cocote Cazuela, Olla

Col Berza, Bretón, Tallo, Repollo, Col de hoja, Posarno

Col lombarda Col roja

Coliflor Brécol, Brécole, Brócul, Brecolera (Arg., Chil.), Bróculi

Comino Kummel, Alcaravea

Condimentar Sazonar

Conejo Liebre

Consomé Consumido (Arg.)

Contrafilete Falso filete

Cordero lechal Cordero de leche

Coriandro Culantro (Chil., Per.)

Crema (postre) Natillas, Flan

Crêpe Crepa, Panqueque (Arg.)

Curry Cary

D

Dentón Besugo

Despojo Vientre, Asadura, Menudillos

Dorada Dorado

Dorar Colorear

E

Embutido Codeguín (Arg.), Prieta, Carne fría

Emparedado Bocadillo, Sandwich

Endivia Escarola

Encurtido Pickle

Entrecote Solomillo, Entrecuesto

Escalonia Ascalonia

Escaloña Ascalonia, Escalonia (Arg., Chil., Per.), Chalote (Arg., Chil.)

Escalope Loncha, Lonja, Escalopa, Milanesa (Arg., Chil., Per.), Carne enromada

Escarola Lechuga crespa

Espetón Broche

Estragón Dragoncillo (Per.)

Esturión Sollo

F

Faba Judía blanca

Farsa Relleno, Recado

Fécula Almidón

Fécula de patata Chuño

Filete Solomillo, Lomito

Filloa Pankeca, Panqueque

Flor de leche Crema de leche, Crema doble, Nata

Foie-gras Paté

Forrar Enfondar, Encamisar, Recubrir (Méx.)

Freír Fritar, Saltar (Méx.)

Fresa Frutilla (Arg., Chil.)

Fritada Freidura, Fritura

Fritura Freidura

Fuente Platón

Fumet Fondo

G

Galleta Bizcocho

Gamba Camarón, Langostino

Garbanzo Mulato

Gelatina Jelatina, Granetina

Girasol Mirasol (Arg., Chil., Per.), Acuagual, Achangual

Glasa Glacé (Arg.)

Guindilla Chile, Chile picante, Ají picante

Guirlache Crocante

Guisante Arveja (Arg., Chil.), Chícharo (Per.), Alverja, Petit pois, Poroto

H

Habichuela Judía, Alubia, Fríjol (Chil.)

Hervir Salcochar

Hierbabuena Hierba Santa, Menta, Huacatay (Per.)

Hojaldre Hojaldre, Hojaldra, Milhojas (Arg.)

J

Jamón Pernil

Jarrete Zancarrón, Corvejón, Garrón

Judía Alubia, Fríjol, Habichuela, Poroto

Judía blanca Alubia, Faba, Fásol, Fréjol (Méx.), Fríjol (Méx., Per.), Trijol, Frísol, Frisuelo, Poroto (Arg., Méx.), Habichuela

Judía verde Chaucha (Arg.), Bajoca, Vaina, Poroto verde (Chil., Per.), Chancha, Ejote, Vainita

L

Lardo Tocino

Lata Bote, Pote

Lechal Corderito

Lechón Cochinillo, Lechoncito

Lengua de buey Lengua de res (Méx.)

Lenguado Suela

Ligar Espesar (Méx.), Trabar

Limón Citrón, Acitrón (Per.)

Lomo Solomillo

Loncha Escalope, Lonja, Chulla, Feta (Arg., Chil., Per.)

Longaniza Embutido, Salami

Lubina Róbalo

M

Macarrón Mostachón
Macerar Marinar
Manos de ternera Pata de ternera (Arg.)
Manteca de cerdo Grasa de cerdo, Lardo
Mantequilla Manteca (Arg.)
Masa Mezcla, Pasta
Mazorca de maíz Choclo (Arg., Chil., Per.), Elote, Cenacle, Cenancle
Mejillón Cholga (Arg.), Choro (Chil., Per.), Chorito (Chil., Per.), Moule, Ostión
Mejorana Sampsuco
Melocotón Durazno (Arg., Chil.), Damasco (Méx.)
Menta Hierba buena
Menudillos Menudencias
Merengue Besito (Arg., Chil., Per.)
Merluza Corbina
Molleja Chachuela
Montar Subir (Méx.)
Mostaza Mostazo, Jenabe
Mújol Mújil (Arg., Chil., Per.), Lisa (Arg., Chil., Per.), Liza, Cachampa, Cabezudo, Lebrancho

N

Nabo Coyocho
Napar Salsear (Arg.)
Nata (postre) Cacuja, Chantilly, Crema batida
Níspero Acerola

Ñ

Ñora Ají muy picante, Chile picante, Pimiento, Pimentón

P

Paletilla Omoplato
Pan de molde Pan inglés, Pan sandwich, Pan cuadrado
Pan rallado Chapelure, Pan molido
Pápikra Pimentón
Parrilla Biftequera (Per.)
Pasapurés Prensapapas
Pasta Atole, Mezcla (Arg., Chil., Per.)
Patata Papa (Arg., Chil., Per.)
Pato Ánade, Parro, Carraco
Pavo Cuchimpe, Clumpipe, Guajalote (Méx.), Pavita, Mulito
Perifollo Perejil chino
Pescadilla Merluza pequeña
Picadillo Pino, Relleno, Recado
Picar Martajar
Pimentón Chile poblano
Pimienta Pebre
Pimiento Ají (Arg., Chil., Per.), Chile (Chil., Per., Méx.), Chiltona, Chiltipiquín, Conguito, Chile rojo
Piña americana Ananás
Pistacho Alfóncigo, Pistache (Méx.)
Plátano Banana, Banano, Cambur
Pomelo Pamplemusa, Toronja (Arg., Chil., Per.)
Popleta Pulpeta, Niños envueltos (Arg.)
Puerro Porro, Poro, Porrón, Ajopuerro (Arg.)
Pularda Polluela (Chil.), Pollita (Arg.)

R

Rape Pejesapo, Raspado
Rehogar Ahogar
Relleno Farsa, Picadillo, Recado (Chil.), Pino (Chil.)
Remolacha Beterraga (Chil., Per.), Betabel, Teterrave
Requesón Cuajada
Róbalo Lubina
Rodaballo Turbot
Rodaja Torreja (Arg., Chil., Per.), Rodela
Rodillo Palo de amasar (Arg.), Uslero (Chil.), Palote (Arg., Chil., Per.)
Roux Rojo, Rubio, Tostado

S

Sábalo Alosa, Arencón
Salchicha Moronga, Chorizo
Salchichón Salame (Arg., Chil., Per.), Salamí
Salmonete Bardo de mar, Trilla, Trigla
Salsa de tomate Tomaticán (Per.)
Saltear Saltar (Méx.)
Sazonar Aderezar, Condimentar
Sofreír Saltar (Méx.)
Solomillo Lomito (Arg.), Filete de lomo (Arg.), Solomo (Méx.), Lomo, Diezmillo (Arg., Chil., Per.), Entrecote, Filete
Sorbete Nieve (Méx.)

T

Tamiz Cedazo, Jibe, Cernidor (Arg., Chil., Per.)
Tarta Pie
Ternera Becerra, Mamón (Árg., Chil.), Novilla (Méx.), Chota, Jata, Vitela
Tocino Panceta (Arg., Chil.), Unto, Lardo, Bacón, Murceo, Cuito (Per.)
Tomate Jitomate (Méx., Per.)
Tordo Estornino, Zorzal
Tórtola Mucuy
Torrija Torreja (Méx.), Rodaja
Tostón Torrado
Tripa Mondongo (Arg.), Chinculines (Arg.), Guatitas (Chil.)
Trufa Criadilla de tierra
Tuétano Médula, Caracú (Arg.)

U

Untar (un molde) Empavonar, Engrasar (Arg., Chil.), Embetunar (Chil), Enmantecar (Arg., Chil., Per.)

V

Vieira Venera, Concha de peregrino

Z

Zanahoria Azanoria

GLOSARIO

A

Ablandar: Romper las fibras duras de la carne golpeándola con un mazo o adobándola en un líquido ácido. También cocer lentamente las hortalizas en agua hasta ablandarlas, pero sin dorarlas.
Al dente: Palabra italiana que significa «al diente» describe las hortalizas o la pasta cocida que ofrecen una ligera resistencia al morderlas.
Aliñar: Condimentar, sazonar una preparación, por ejemplo una ensalada con salsa vinagreta.
Amasar: Técnica para aplastar y doblar una pasta hasta que esté compacta y homogénea. Al amasar se estira el gluten de la harina, aportando elasticidad.
Aromática: Cualquier especia o hierba (albahaca, comino, romero) que imparte sabor y fragancia a los alimentos.

B

Baño María: «Baño de agua» que se prepara colocando una cacerola o cuenco con alimentos sobre un recipiente más grande de agua hirviendo. Se puede hacer en el horno o sobre el fuego. Poner a calentar platos delicados, como por ejemplo salsas, en el que han de conservar el calor o calentarse lentamente. El recipiente con la preparación se coloca de forma que no toque el fondo. El agua no ha de hervir.
Blanquear: Sumergir frutas u hortalizas en agua hirviendo después en agua helada para parar la cocción, desprender sus pieles, fijar su color y extraer los jugos amargos. Este proceso también reduce la sal en el tocino salado y otras carnes curadas.
Brasear: Dorar los alimentos en grasa, para después cocinarlos tapados en una pequeña cantidad de líquido aromatizado a fuego lento y durante largo tiempo.

C

Caldo: El líquido aromático obtenido cuando los alimentos se cuecen en agua a fuego lento.
Caramelizar: Proceso de calentar el azúcar hasta que se licua y transforma en almíbar; el color varía del dorado al marrón oscuro. El azúcar también se puede caramelizar espolvoreando sobre los alimentos y poniendo éstos debajo del grill hasta que el azúcar se derrita (como la crema quemada). Este término también se aplica a las cebollas y los puerros salteados en grasa.
Cáscara: La piel coloreada de los cítricos, sin la membrana blanca.
Cocer a fuego lento: Cocer los alimentos en un líquido por debajo del punto de ebullición; la superficie del líquido más que burbujear se agita suavemente.
Cocer al vapor: Cocer un alimento sin que éste se ponga en contacto con el líquido.
Compota: Mezcla de frutas que se cuece lentamente, generalmente en un almíbar de azúcar con especias o licor.
Cubrir: Cubrir los alimentos con una capa exterior de, por ejemplo, harina, huevos batidos, pan rallado, mayonesa o glaseado.

D

Desmenuzar: Separar los alimentos en trozos pequeños con un tenedor. También separar los alimentos cortándolos en tiras finas con un cuchillo, macheta o rallador.
Dorar: Tostar un alimento en grasa, animal o vegetal, para que los ingredientes adquieran un color dorado, como es el caso de la cebolla.

E

Empanar: Pasar primero por harina, luego por huevo y finalmente por pan rallado los alimentos.
Enriquecer: Añadir crema de leche o yemas de huevo a una salsa o una sopa, o mantequilla a una pasta para aportar textura y sabor.
Entrecote: Palabra francesa que significa «entre las costillas». Este corte tierno de buey o ternera se suele asar a la parrilla o saltear.
Escaldar: Sumergir brevemente en agua salada hirviendo verduras o setas para quitarles sabores desagradables o impurezas, o para poder quitar mejor las pieles o cáscaras.
Escalfar: Cocer en un líquido por debajo del punto de ebullición. Cocer alimentos lentamente sumergiéndolos en un líquido sin que éste llegue a hervir (agua, almíbar de azúcar, alcohol) justo antes del punto de ebullición.
Escalope: Loncha fina de carne, ternera, pollo o pescado.
Espesante: Elemento que se utiliza para espesar (por ejemplo yema de huevo, harina, etc.).

F

Flamear: Prender un licor, generalmente para conseguir una espectacular presentación en la mesa. También se hace para quemar el contenido de alcohol de un plato.
Fondue: Palabra francesa que significa «derretir» y que se refiere a los alimentos cocinados en un recipiente para fondue, sobre la mesa. Tradicionalmente, se sumergen dados de pan en queso derretido; otras variantes introducen carne en aceite caliente (fondue bourguignonne) y dados de bizcocho en chocolate derretido.
Forrar: Cubrir un molde con mantequilla, aceite y/o harina y papel de hornear para evitar que la preparación se pegue. También se pueden utilizar alimentos como lonchas de tocino, hojas de espinacas y bizcochos de soletilla.
Fumet: Caldo aromatizado que se prepara generalmente con las espinas del pescado, habitualmente blanco, aunque algunas veces también se prepara con caza, y que se utiliza para aromatizar líquidos de sabor suave. Se utiliza frecuentemente en la cocina francesa clásica.

G

Glasear: Cubrir los alimentos con un líquido poco denso (dulce o salado) que queda liso y brillante al solidificarse. Se puede hacer con un caldo reducido (áspie), con confitura derretida, yema de huevo o chocolate. También se refiere a los caldos de carne o pescado muy reducidos.

Gluten: Proteína que se encuentra en la harina y que aporta elasticidad. La harina con alto contenido en gluten es la mejor para el amasado del pan. La harina de bajo contenido en gluten, como la que se utiliza en los bizcochos, es más blanda y menos elástica.
Gratinar: Calentar un plato al horno o bajo el grill a fuego vivo para que tenga una costra marrón por encima.
Guarnición: Acompañamiento o aderezo de plato. Ésta determina la mayoría de las veces el nombre del plato.

H

Hervir: «Llevar a ebullición», significa calentar un líquido hasta que empiezan a salir burbujas que rompen la superficie (100 °C). Hervir también significa cocer los alimentos en un líquido hirviente.
Hojaldre: Envoltorio de pasta de hojaldre para rellenar.
Hornear: Cocinar los alimentos en el horno. Para obtener mejores resultados, es mejor utilizar un termómetro para horno; la mayoría de los hornos alcanzan temperaturas diferentes a las que marca el indicador del horno.

I

Incorporar: Amalgamar una mezcla ligera y etérea con una más pesada. La más ligera se pone sobre la más pesada y con una cuchara metálica grande o una espátula de goma se hacen suaves movimientos en forma de ocho, de forma que ambas mezcladas se unan sin perder aire.

J

Jugo: Jugo de carne o fondo de un asado, fondo marrón.
Juliana: Cortar los alimentos en tiras finas. Se suelen cortar así las hortalizas o trufas que sirven como adorno o acompañamiento.

L

Levadura: Sustancia que se utiliza para levar las pastas y para aumentar el volumen de las preparaciones horneadas. Para el pan, la más común es la levadura fresca o de panadero; para los bizcochos, la levadura en polvo o química y el bicarbonato.
Ligazón: Mezcla de yema de huevo y crema de leche que se utiliza para espesar salsas, sopas y guisos. Para que no se corte, hay que retirar el recipiente del fuego poco antes de servir el plato.

M

Macerar: Remojar los alimentos en un líquido, generalmente alcohol o licor, para ablandar su textura e impartirles sabor.
Marinada: Líquido compuesto de hierbas y especias (vino, zumo de limón, vinagre, leche agria o suero de mantequilla) para conservar y ablandar la carne y el pescado.
Masa: Mezcla cruda para crepes, tortas y bizcochos. Puede ser espesa o líquida. También se utiliza para describir la cobertura de los alimentos que van a freírse, como el pescado.
Mechar: Insertar tiras de grasa (generalmente de cerdo) en trozos magros de carne, para proporcionar un sabor más jugoso y suculento.
Medallón: Trozo de carne pequeño y redondo, generalmente tierno y magro, que necesita un tiempo de cocción muy corto.
Meunière: Término francés para describir un plato cocinado en mantequilla, sazonado con sal, pimienta y zumo de limón, y decorado con perejil.
Montar: Preparar un plato para servir, dar una forma determinada a un alimento y servirlo adornado o decorado estéticamente. Batir una salsa o sopa con mantequilla.
Mousse: Preparación ligera, dulce o salada, de ingredientes batidos y mezclados (crustáceos, pescados, carnes o aves). Muchas veces se pone dentro de un molde decorativo y se suele servir desmoldado frío o caliente.

P

Paisana: Mezcla de hortalizas (generalmente patatas, zanahorias, nabos y col) generalmente cortadas en pequeñas formas geométricas. Se suele utilizar para adornar sopas, carnes, pescados o tortillas.
Pasta: Mezcla de harina y agua, que normalmente lleva más ingredientes, trabajada hasta que esté lo bastante compacta para mantener la forma, pero lo suficientemente maleable para amasarla a mano. También alimentos finamente molidos hasta conseguir una textura extremadamente fina; por ejemplo, pasta de almendras.
Paté: Mezcla fina de textura gruesa que se suele preparar con carne y/o hígado, hortalizas o pescado, sazonada o especiada y puesta en un molde.
Pinchar: Agujerear los alimentos para que desprendan aire o jugos durante la cocción. La piel de pato se pincha antes de cocinarla para que suelte la grasa.
Puré: Alimentos que han sido batidos o tamizados para formar una especie de papilla. Para hacerlo, normalmente se utiliza una batidora eléctrica, pero también se puede utilizar un pasapurés o un tamiz para obtener el mismo resultado.

R

Ragú: Plato de pescado, carne, verdura, conchas o mariscos troceados y espesado con una salsa bien condimentada. Se utiliza también como relleno.
Raspas/Carcasa: Esqueleto de crustáceos, pescados y aves.
Reducir: Hervir líquidos tales como fondos, sopas o salsas para conseguir que se concentren y queden espesos. Al hervir rápidamente en un recipiente destapado el líquido se evapora y se obtiene un sabor más concentrado.
Rehogar: Guisar en poco líquido, y en los propios jugos de los alimentos.
Rociar: Mojar con una cuchara o pincel los alimentos durante la cocción con caldo, grasa o su fondo de cocción, da sabor y los deja más jugosos.
Royal: Guarnición para sopa a base de huevo, leche, sal y nuez moscada. Se bate y cuece al baño María. Al cuajar se corta en cubitos que se añaden a la sopa.

S

Saltear: Freír rápidamente trozos de carne, pescado o ave.
Sofreír: Poner a freír en aceite sin que el alimento tome color.
Suprema: Plato realizado con las mejores partes del animal, preparado de un modo especialmente fino.

T

Tamizar: Pasar ingredientes secos a través de un tamiz para que los trozos más grandes se queden en él y separados del polvo fino. Se suele hacer frecuentemente al preparar masas y pastas para airear los ingredientes.

Terrina: Molde o la preparación que contiene. Suele ser una mezcla de varios ingredientes parecida al paté.
Trinchar: Cortar las piezas que se cocinan enteras para servirlas en los platos.
Tronco: Término que se utiliza para describir el filete de un pescado plano grande.

Kilogramos	Gramos	Onzas	Libras
1	1.000	35,3	2,20
0,001	1	0,035	0,0022
0,0283	28,3	1	0,0625
0,453	453	16	1

1 onza .... 38,35 gramos
1 libra .... 453,6 gramos
1 kilo .... 2,2 libras
1 libra .... 16 onzas
1 gramo .... 0,0353 onzas